Alianza Cien
pone al alcance de todos
las mejores obras de la literatura
y el pensamiento universales
en condiciones óptimas de calidad y precio
e incita al lector
al conocimiento más completo de un autor,
invitándole a aprovechar
los escasos momentos de ocio
creados por las nuevas formas de vida.

Alianza Cien
es un reto y una ambiciosa iniciativa cultural

TEXTOS COMPLETOS

FERNANDO GARCÍA DE CORTÁZAR
JOSÉ M. GONZÁLEZ VESGA

Historia de España

Alianza Editorial

Diseño de cubierta: Ángel Uriarte
Ilustración de cubierta: F. de Goya, *El 3 de mayo de 1808*
Museo del Prado, Madrid

Calle J. I. Luca de Tena, 15, 28027 Madrid; teléf. 741 66 00
ISBN: 84-206-4628-8
Depósito legal: B-13100-94
Impreso en NOVOPRINT, S. A.
Printed in Spain

Yo no canto la historia que bosteza en los [libros,
ni la gloria que arrastran las sombras de la [muerte.
¡España está en nosotros...!

EUGENIO DE NORA

¿Historia de España o historia de los españoles?, no le resulta fácil al historiador de final de siglo, liberado de las tentaciones de *uniformidad* decimonónica, decidirse a elegir un término adecuado a los últimos tres mil años de crónica peninsular. Espacio geográfico, protagonistas humanos, *sentido nacional,* parecían hasta ayer sinónimos y, sin embargo, en el presente no son unánimes los sentimientos de quienes quedaron englobados, por la fuerza de la geografía y la historia, en esa comunidad llamada España. A veces, la conciencia de pertenecer a una misma familia y la lucha por defenderla del extraño se impusieron sobre cualquier pensamiento; otras, se exageraron las diferencias, buscando romper los vínculos estrechados por los años entre las culturas peninsulares. En un tiempo, la convivencia pacífica de lenguas y religiones resultó casi natural, en otro se consideró un desatino. Pero desde el siglo XIX, una misma ideología, el nacionalismo, engangrena los desacuerdos al inventar términos excluyentes: España frente a Catalunya, Euzkadi o Galiza. Mediatizados por ella, políticos e intelectuales no se conforman con disfrutar plácidamente del patrimonio recibido, sino que manipulan los testimonios de nuestros antepasados haciéndoles protagonistas de preocupaciones modernas.

El mar
alrededor de España
verde
Cantábrico,
azul Mediterráneo...

BLAS DE OTERO

Rodeada de mar y excéntrica en Europa, la posición geográfica de la Península Ibérica determina su itinerario histórico, sobre todo en la Antigüedad, cuando la capacidad humana para soslayar los inconvenientes de la naturaleza era escasa. Con la temible barrera de los Pirineos, el territorio parecía condenado a permanecer recluido en sí mismo, irreductible a los fenómenos culturales que llegaban del norte. Sin embargo no fue así: los flujos *europeizantes* lograron traspasar esta frontera, aunque siempre con un cierto retraso y después de notables transformaciones antes de aposentarse en Iberia. La herencia continental llegaría, sí; pero con tantos añadidos y mestizajes que imponen un sello original a las creaciones hispanas del mundo antiguo y el medioevo. Cuando los modernos medios de transporte revolucionen las comunicaciones en los siglos XIX y XX la traba física terminaría transformándose en frontera sicológica. El lema *África empieza en los Pirineos,* tan despectivo de nuestros vecinos norteños, y de algunos intelectuales domésticos, no es más que la constatación de esa especificidad cultural del ámbito peninsular, difícil de asimilar a las categorías de los países desarrollados.

Y es que, junto a su condición europea, España ha permanecido maniatada al continente africano, del que más que separar, el estrecho gibraltareño fue puente hasta la Edad Moderna. La eterna propensión de los peninsulares a mirar con recelo al sur, origen de continuas invasiones y pillajes, empujó a los gobernantes a imbuirse de un espíritu intervencionista en el norte de África. Herencia de Roma, Córdoba y Castilla que se prolonga en el XX con el protectorado marroquí, vuelve a asaltarnos en los albores del XXI ante el espectro de los inmigrantes magrebíes, contra los que tomamos, como en el medioevo, el papel de *defensores de la fe,* bien que ahora, económica.

Enclave entre el norte europeo y el sur africano, la península vivió pronto la desdicha de convertirse en campo de batalla de ambos mundos pero también la suerte de ser solar de encuentro de sus pueblos, en un inacabado proceso de mestizaje de culturas y sangre que ella expandiría luego a las tierras americanas.

Asimismo, Iberia gozó desde tiempos remotos de las esencias mediterráneas por más que en el gran mar ocupase un lugar extremo, alejado de las metrópolis culturales. La riqueza de su subsuelo y las cosechas de sus campos atrajeron a los navegantes fenicios, griegos, cartagineses, romanos y musulmanes, quienes le concedieron un puesto de honor en el espacio que constituirá el foco de la civilización occidental hasta la Edad Moderna. Gracias a las arriesgadas travesías de comerciantes, guerreros, o sacerdotes, la península mantuvo correspondencia con las tierras del Oriente Próximo, el mar Egeo o el Mediterráneo Central, donde importa novedades culturales y savia humana. Camino de ida y vuelta, durante la Edad Media la corona catalanoaragonesa devuelve la visita con su afición al Mediterráneo, contagiada a la monarquía hispánica de los Austrias.

Por otro lado, el esfuerzo de *españoles* y portugueses en el siglo XV elevó la condición atlántica de la península e impuso a Europa esta nueva perspectiva al abrirle un mundo desconocido, América, y redondear la imagen de la tierra. Si los pueblos orientales hicieron *mediterránea* a Iberia, ésta supo agradecer su gesto *atlantizando* Europa con el sacrificio de sus hombres y la mejora de las técnicas del Renacimiento. A lo largo de cuatro siglos la querencia americana sería el centro de gravedad de la historia peninsular, a costa de la mediterránea e, incluso, de la continental. Sólo en el XIX, la independencia de las colonias rompe el cordón umbilical de España y América: una nación desorientada se repliega sobre sí misma mientras una retórica vacía agosta la anterior cosecha. Aunque en el siglo XX los lazos parecieron estrecharse, con el ingreso en la Comunidad Económica es España la que abandona a su suerte a Hispanoamérica en su afán por recuperar el tren de Europa. Obsesionados desde el siglo pasado por la industrialización y el desarrollo europeos, los españoles dilapidan su herencia atlántica y mediterránea, el mejor regalo a ese proyecto continental. A la España reconcentrada sucede, pues, la *Minieuropa* ensimismada.

Si la ubicación de la península ha tenido notable influencia en su historia, lo mismo puede decirse de su estructura interna, dominada por una orografía abrupta donde las comunicaciones han resultado muy difíciles hasta el siglo XIX. Un escollo, que ha impedido el acceso de las corrientes exteriores a los ámbitos peninsulares y un desarrollo económico y político homogéneo. Frente a las receptivas tierras costeras, la Meseta sufre aislamiento por largos períodos, bloqueada por las cadenas montañosas del Sistema Ibérico, las serranías béticas y las cumbres cantábricas y galaicas, entorpecedoras de las relaciones entre el norte y el sur, el este y el oeste. La orografía rompe la península en distintas regiones geográficas —Meseta, cornisa cantábrica, Galicia, valles del Ebro y Guadalquivir, costa levantina, Cataluña— que, con el quehacer de la Historia, cristalizarán en una honda *comarcalización* cultural.

A las altas tierras meseteñas y montañesas, víctimas de un clima riguroso, escasa lluvia y pobres suelos, se oponen las feraces depresiones del Ebro y Guadalquivir donde la agricultura prende con fuerza desde la llegada de los primeros colonizadores mediterráneos. En el interior la ganadería será la salvación tanto de las tribus celtíberas como de romanos, visigodos o pueblos norteños. Después, la lucha contra el Islam de los reinos castellano-leonés y aragonés da nuevo aliento a esta especialidad pastoril, que hará de la oveja el animal rey. En la Edad Moderna, el apoyo de los poderes públicos, deseosos de capitalizar el tirón de la demanda europea de lana, reforzará el poder de la oveja frente al arado hasta el XVIII, en tanto las cañadas trashumantes pasan a ser las más transitadas vías de comunicación del país.

Mientras, los valles orientados a la producción agrícola no permanecen ajenos a los influjos foráneos, en ellos dominan las corrientes culturales del Mediterráneo y la agricultura tiende a adaptarse a los gustos y saberes de los hombres venidos de Oriente. Cartago introduce algunos árboles frutales e impulsa el cultivo de los cereales y las fibras. Roma organiza las cosechas alrededor de la triada mediterránea —vid, olivo, trigo— que arraiga en Andalucía, Levante y valle del Ebro, prolongando sus raíces hacia la Meseta. Finalmente, el Islam robustece la militancia agrarista del sur y el este peninsular con la importación de nuevas especies hortofrutícolas desde Asia y el norte de África, en competencia con los reinos cristianos, que bregan por imitar la agricultura *romana* en los espacios reconquistados, aun en los menos aptos, a la búsqueda de la autarquía agraria regional.

La primera gran *revolución* en la agricultura clásica llega con el descubrimiento de América, cuando en un mutuo intercambio *ecológico* gran número de plantas —maíz, patata, tomate, caña de azúcar, algodón, vid— cruzan el Atlántico en ambos sentidos. De momento, las colonias salen más beneficiadas pero las nuevas especies americanas permitirán ganar tierra al arado en la península y mejorar los rendimientos, iniciando una especialización comarcal que no cesa hasta el triunfo de la agricultura *comercializada* del XIX. Entonces, cada territorio peninsular comprende la necesidad de concentrar su esfuerzo en aquellos productos históricos para los que se hallaba mejor dotado: surge el paisaje del olivar en Andalucía, del cereal en Castilla, de los frutales en Valencia, del viñedo en los campos de Jerez o en La Rioja, de la caña azucarera en las vegas de Granada y del maíz en la cornisa cantábrica.

Quizás el mayor obstáculo al desarrollo agrario de los dos últimos milenios hayan sido las escasas lluvias recibidas en muchas de las regiones españolas del interior, Andalucía y

Levante, y, paradójicamente, los devastadores efectos de las aguas torrenciales en las zonas mediterráneas. Por ello, la lucha contra la sequía es tarea tenaz de los habitantes de la península, sobre todo en áreas con recursos hidráulicos, como las del Ebro y el Guadalquivir, aunque tampoco faltarán iniciativas en la Meseta. Roma recupera los trabajos de Cartago en las huertas levantinas ampliándolos a la Bética y el valle del Ebro, y de su ímpetu disfruta el Islam, que mejora las expectativas con nuevas técnicas orientales y más acequias. Los reinos cristianos se preocupan del agua desde la baja Edad Media pero la política hidráulica no adquiere vigor renovado hasta el siglo XVIII con los monarcas ilustrados: el regadío constituía el eje primordial de su proyecto de modernización de la agricultura española al igual que para Prieto y la Segunda República.

La *falta de agua* se agrava, en pleno siglo XIX, con el ensanche de las ciudades, la industrialización y la agricultura especializada, que consumen agua a manos llenas sin reparar en su *coste*. Ni siquiera el trabajo regulador de las cuencas con los pantanos de Primo de Rivera y Franco permitió atajar el mal. Es meritorio, no obstante, el esfuerzo de nuestra época por superar la regionalización de las políticas del pasado —atentas únicamente al aprovechamiento de las aguas fluviales dentro de unos circuitos muy restringidos— para buscar un equilibrio entre las cuencas peninsulares. La construcción del trasvase Tajo-Segura (1967-1980) simboliza el cambio de objetivos, al que podrán añadirse en un futuro no muy lejano otros más, de aplicarse la ley socialista de aguas.

Ante los planes gubernamentales han surgido, sin embargo, reticencias y rechazos de algunas comunidades que, como Aragón, ven *trasvasar* uno de los pocos bienes de que disponen para su desarrollo en favor de otras ricas, consumidoras netas por su índice de industrialización, sin las suficientes compensaciones. Parece llegado el momento de calibrar el verdadero valor del agua, bien escaso y *materia prima* de la industria, los servicios y la agricultura. El trasvase de los excedentes de las comunidades pobres a las adineradas debe venir acompañado del traslado de algunos grandes consumidores de las opulentas a las menesterosas a fin de evitar su virtual despoblación. Asimismo, resulta fundamental valorar los beneficios *reales* de cierto modelo de agricultura, basado en un gasto de agua desmedido, que presiona sobre los acuíferos subterráneos impidiendo su regeneración o arruinándolos al aumentar la salinidad de las aguas.

En compensación a las dificultades impuestas por las barreras montañosas, sus entrañas ofrecieron a los peninsulares los más ricos yacimientos minerales de la Europa occidental. Plata, cobre, plomo, mercurio, hierro..., todos se encontraban en abundancia. Tras el brillo de la plata y el cobre, fenicios y griegos compitieron por dominar el comercio con El Dorado del mundo clásico; Cartago descubrió en las minas andaluzas y murcianas los cimientos de su poderío y Roma parte del oro con que pagar sus ejércitos. En la Edad Media, la minería languidece y con el Imperio se hace, sobre todo, americana: picos y fundiciones se embarcan en los galeones para explotar la plata peruana o mejicana aunque no falte el trabajo de los ferrones, en torno al hierro vizcaíno, y el de los esclavos y convictos, encadenados al azogue de Almadén. Es en el siglo XIX cuando España renueva su posición de gran productor europeo horadando el suelo de Vizcaya, Asturias, Santander y Andalucía.

...los brazos de sus ríos acumulan
venas que acercan las gargantas
oscuras o los verdes valles,
arrancando la tierra, acariciándola...

JOSÉ GARCÍA NIETO

Todo este desarrollo económico y demográfico deja feas cicatrices en la piel peninsular. Las explotaciones mineras siembran las montañas españolas de cráteres, arrasando el patrimonio de sus crestas y laderas. Con dificultad se podrán olvidar las imágenes de los pozos de Almadén o el paisaje lunar de los montes de Triano en Vizcaya, los depósitos de ganga, que desde tiempo de Cartago y Roma se acumulan en la región murciana, o los deshechos de la minería del carbón en los valles asturianos. Y no solamente aquí, en Galicia la actividad de los esclavos romanos redujo a escombros montes enteros; los gases emanados por las fundiciones de plomo asolaron la vegetación de Linares y Puertollano; y el lavado de los minerales tiñó de rojo los ríos Tinto y Odiel y de negro los arroyos cantábricos en tanto los residuos colmataban en menos de un siglo la bahía murciana de Portmán. Un nuevo atentado que añadir a los contaminantes efectos de la industria química y papelera en los ríos vascos, gallegos y catalanes y a la peligrosa compañía de nitratos y pesticidas en los acuíferos subterráneos, debido a los excesos de la agricultura del siglo XX.

Otros dos fenómenos, estrechamente relacionados, avalan la decadencia ecológica del territorio: la muerte de extensas áreas de bosque autóctono y el zarpazo continuo de la erosión. Los escritores grecorromanos llegaron a conocer la formidable masa arbórea que cubría la Península Ibérica hace más de dos milenios. Compuesta de frondosas de hoja caduca en el norte húmedo —hayas, robles, castaños— y de bosque mediterráneo —encinas, alcornoques, madroños y matorral en la Meseta o Levante, la *selva* peninsular se vería muy pronto mermada por el empuje *civilizador*. Las agresiones pioneras tienen lugar en Andalucía con el despertar de las comunidades agrícolas y la actividad a gran escala de la metalurgia en el primer milenio a.C. El consumo de madera en las fundiciones indígenas acabó con la cubierta vegetal de Sierra Morena, cuyos suelos son arrastrados por las lluvias y el río

Guadalquivir hasta rellenar las lagunas costeras de su desembocadura y dar origen a las actuales marismas de Doñana. También la agricultura romana es responsable de la mengua del espacio *virgen* en la Bética, Levante, Extremadura, valle del Ebro y en torno a las ciudades y *villae* meseteñas, al reemplazar las áreas de cultivo los viejos ecosistemas naturales.

La tala avanza con prisa en la Edad Media, a impulsos de la política de tierra quemada desarrollada por los contendientes en Castilla y Aragón, de la progresiva *humanización* del paisaje al norte del Duero y del desahogo de los olivos, frutales y huertas por los valles andaluces, valencianos y aragoneses, en poder del Islam. A pesar de las roturaciones, acompasadas al crecimiento demográfico, los espacios naturales norteños descubren un seguro de subsistencia en el modelo de reparto del *terrazgo,* al quedar adscritos gran parte de las zonas boscosas a aprovechamientos de tipo comunal que evitaron su destrucción. El equilibrio medieval entre la tierra cultivada y el suelo virgen se reproduce luego en las grandes propiedades nobiliarias del sur, que conservarán parte de sus áreas montaraces por la falta de mano de obra y la ganadería. El adehesamiento permite así la vida de enclaves naturales en Sierra Morena o los Montes de Toledo, a la vez que la pérdida de especies vegetales y los riesgos de la deforestación alientan a fines de la baja Edad Media los primeros proyectos legislativos de defensa del bosque.

Con el fin de la Reconquista y el auge del Imperio, la naturaleza vuelve a sufrir el ataque depredador del hombre. La necesidad progresiva de alimentos y el tirón del comercio americano, fuerzan nuevas roturaciones en terrenos marginales de Andalucía, ambas Castillas, Levante, Cataluña, sin tener en cuenta el rendimiento decreciente de los suelos, mientras la oveja exige más y más pasto a costa de los árboles. En la cornisa cantábrica, los Pirineos y el Sistema Ibérico, la demanda de la construcción naval y el consumo de la industria *ferrona* reducen a cenizas el bosque húmedo, al caer abatidas las especies de lento desarrollo —haya, roble— en beneficio de otras de vida rápida, a menudo importadas del continente americano. Sólo la crisis del XVII pone freno temporal a esta furia: el despoblamiento castellano fomenta incluso un retorno del sotobosque degradado. Mejor suerte corren los islotes vírgenes andaluces, manchegos y extremeños, despensa del ganado vacuno y de cerda. Su buena estrella declina, no obstante, con los repartos de Carlos III; olivos, vides, cereales y frutales ganan la partida al bosque extremeño, como en Valencia y Cataluña a las lagunas y albuferas desecadas.

El gran mazazo lo recibe el bosque peninsular en el siglo XIX, particularmente tras la desamortización de Madoz. Al privatizarse los comunales, las masas arbóreas caen bajo el arado en las regiones de agricultura más rentable. Igualmente, en las zonas escarpadas, la demanda de la industria siderúrgica y papelera de Andalucía, País Vasco y Cataluña fuerza la tala y la invasión del pino *insignis* y el eucalipto en Galicia, Cantabria, País Vasco y serranías béticas. El panorama del siglo XX es catastrófico, a pesar de las reservas naturales y los espacios protegidos. La imprescindible política de obras públicas —pantanos, carreteras, líneas de ferrocarril— hace jirones de la corteza peninsular, en tanto el crecimiento de las grandes ciudades y la oferta masiva de turismo devoran amplias parcelas de la naturaleza. Buscando la *productividad* inmediata, las leyes que regularon la *concentración parcelaria* en el norte mataron la masa forestal y arbustiva de los ribazos, linderos y caminos castellanos. Y para coronar el panel de desgracias, la plaga de los incendios veraniegos, en los que se conjugan las sequías, la negligencia y el negocio, calcina cada año las reservas vegetales de Castilla, Valencia, Galicia y el sureste.

Desde los años ochenta la mayor conciencia ecológica de la población presiona en defensa de los parajes naturales del territorio español, aunque escasos, los mejor conservados de Europa Occidental. Los proyectos encaminados a mantener España de *reserva ecológica* de Europa, no deben hacernos olvidar, sin embargo, que su *privilegiada* naturaleza es fruto del subdesarrollo económico del país en las dos últimas centurias y que cualquier política *conservacionista* ha de contar con los legítimos intereses de los habitantes de las regiones protegidas. Los intentos de unir estos enclaves a través de las antiguas rutas trashumantes o la reforestación de algunas tierras de cultivo poco rentables según la nueva política agraria comunitaria son buenos pasos, pues se apoyan en las subvenciones de la CEE a los agricultores afectados.

Las talas, la irregularidad pluviométrica

con sus sequías y lluvias torrenciales, y la devastadora actividad del hombre han contribuido de manera notable al incremento de la erosión del suelo español. Carentes de defensas vegetales, las tierras españolas se ven sometidas al castigo inmisericorde de las aguas y el viento, que han arruinado parte de la Meseta y de los montes sureños depositando sus suelos productivos en valles y costas. No hay más que observar la ampliación de los deltas del Ebro y el Guadalquivir desde el siglo x, o el relleno de la bahía gaditana y otros *puertos* fenicios y romanos, hoy cerrados al mar, para ratificarlo. Además, las inundaciones y avenidas intermitentes en la baja Andalucía, Levante y litoral cantábrico han acelerado los procesos erosivos, agravados a partir del XVIII por la desecación de albuferas y lagunas litorales, el encauzamiento de ríos y la construcción de caminos y edificios sin respetar los desagües naturales.

Al cuadro descrito hay que añadir el peligro de desertización, más acusado en España a causa de su geografía y del clima semiárido de buena parte de su espacio. Un riesgo que se acrecienta al coincidir las regiones amenazadas con aquellas que han concentrado siempre las faenas agrícolas y ganaderas, hasta el punto de provocar la pérdida de algunos parajes en el sureste almeriense o en las Bardenas navarras y amenazar el sureste andaluz, Castilla y Aragón. Los regadíos inadecuados han contribuido también a la destrucción del suelo. Enfrascados en su lucha contra la sequía, los agricultores no se preocuparon muchas veces de preparar los drenajes pertinentes y la acumulación de sales en la superficie terminó por arruinar sus explotaciones.

> España, España, España.
> Dos mil años de historia no acabaron de hacerte.
>
> EUGENIO DE NORA

Si el paisaje peninsular ha soportado profundas mutaciones a lo largo de los tres últimos milenios, otro tanto puede decirse del *espíritu* de sus moradores. Tres mil años nunca pasan en balde, ni en lo *cultural* ni en lo *genético*. Por muy aisladas que se encontrasen las comunidades indígenas, todas ellas fueron absorbiendo, en mayor o menor grado, creencias, técnicas, fermentos creativos... que a la postre se sobrepusieron a las diversidades regionales, herederas de la geografía, para dotar de una cierta homogeneidad a la, por otra parte, multiforme civilización hispana.

A las puertas del primer milenio a.C. los pueblos orientales y la cultura del hierro introducen la Península Ibérica en la Historia, con dos personalidades culturales diferenciadas. Cataluña y el valle del Ebro quedan adscritas muy pronto a las corrientes centroeuropeas de los «campos de urnas», que en pocas centurias extienden sus formas de vida y de ultratumba a la Meseta. Paralelamente, en Andalucía y Levante, la presencia de fenicios y griegos impulsa el desarrollo de los modelos del Mediterráneo oriental, en un proceso de inculturación culminado en el esplendor tartésico. Dos vías de homogeneización que conviven con una enorme diversidad tribal. De un lado, los influjos mediterráneos estructuran en Levante, Andalucía y la costa catalana el conjunto de las tribus ibérico-turdetanas, todas política y culturalmente independientes, pero provistas de unos rasgos comunes —urbanismo desarrollado, economía agrícola y minera, alfabetos muy parecidos, creencias relacionadas— que las emparentan. En la Meseta y el norte peninsular, las continuas migraciones provenientes de Europa reforzaron, por contra, los elementos continentales, al imponer los recién llegados su lengua y costumbres a los habitantes primigenios, así como una organización gentilicio-pastoril y, a menudo, guerrera y depredadora de los ricos poblados béticos, levantinos o del valle del Ebro. Tampoco aquí puede hablarse de unidad, pues, junto a la cultura castreña asturiana y gallega, coexiste la del Tajo, relacionada con la catalana de los campos de urnas, o la del Duero, a medio camino entre ambas. En sus guerras por el dominio peninsular y mediterráneo, Cartago y Roma cohesionarían políticamente estas tribus alrededor de una serie de *caudillos* que, sin embargo, nada podrían frente a las poderosas maquinarias bélicas de las potencias imperialistas.

Sobre las dos Iberias, la *mediterránea* y la *meseteño-atlántica,* Roma impone una política integradora al someter toda la península, con frecuencia de forma brutal y sangrienta, a su modelo de cultura. De su mano, los adelantos del mundo clásico en el urbanismo, la economía, la cultura o la religión acampan en el solar ibérico, vertebrando esa realidad histórica que denominamos *Hispania.* Roma dota a la colonia de ciudades, asentamientos militares y explotaciones agrícolas, origen de algunas de las urbes bimilenarias de hoy. Construye caminos y puertos que, superando las barreras de la geografía, permiten a un ejército de soldados, funcionarios y comerciantes expandir los avances de la *civilización latina* desde las regiones más cultivadas —Bética, Levante, costa catalana, valle del Ebro— hacia el interior, acelerando la mezcla de los primitivos moradores con las gentes venidas del exterior. Y por encima de ciudades y caminos, la organización administrativa, militar y religiosa no sólo facilita el gobierno a la metrópoli sino que refuerza el sentido de unidad, aún en los territorios donde la acción *romanizadora* era menos intensa.

Junto a la estructura territorial, que en muchas zonas de la península permaneció intacta a través de los siglos —las diócesis eclesiásticas, por ejemplo, han mantenido hasta hoy las viejas jurisdicciones romanas—, el Imperio deja una herencia cultural. La lengua, el derecho, ciertas *normas artísticas* y los monumentos escritos de la cultura clásica enriquecen el acervo intelectual, favorecen la comunicación de ideas entre los *pueblos* peninsulares y se imponen como elementos de afinidad entre sus respectivas elites. Con todo, por debajo del barniz latino de las clases dirigentes es posible detectar en el norte el latido de los modelos indígenas, tanto en lo religioso como en las formas de vida o lenguaje, que aflorarán a la superficie de la historia bastantes siglos después. Incluso, cuando el Imperio comienza a decaer todavía entrega un último tributo con la arribada, procedente del norte de África, del cristianismo.

Asociada al resto de las influencias *culturales,* la religión cristiana prende en las regiones más ricas de la Bética y la Tarraconense, desde donde acomete su apostolado proselitista de la Meseta. Los períodos de inestabilidad que preceden a la ruina del Imperio, el desconcierto en el ámbito ciudadano y la profunda polarización social fortalecerán el papel socioeconómico y político de la Iglesia hispanorromana, comprometida con el poder a raíz de los Edictos de Constantino. En poco tiempo, lo *político* va cediendo paso a lo *religioso* como factor cohesionador y civilizador mientras la cultura clásica y el cristianismo comienzan juntos el peregrinaje que les convertirá en las más claras señas de identidad de la cultura peninsular.

En los momentos de zozobra que suceden al ocaso romano, huérfana de la tutela latina, Hispania se despega del marco mediterráneo para concentrarse en sí misma con el asentamiento de las tribus germánicas y la ruptura de la unidad administrativa en varios *reinos* enfrentados. Pero, a largo plazo, y excepto pequeñas contaminaciones en el gusto artístico, la herencia romana se salva con el triunfo del pueblo visigodo. A pesar de los intentos de segregación ensayados por los monarcas godos para preservar su *pureza* y dominio político, su pueblo sería absorbido por unas formas de vida y cultura que les desbordaban: la conversión de Recaredo al catolicismo, el credo de los hispanorromanos, señala el inicio de la adaptación. Sólo en los valles norteños peor comunicados, el fin del poder imperial y la crisis económica fomentan el renacimiento de las formas *indígenas,* permanentemente acosadas desde Toledo cuando el *reino visigodo* reconsidere las líneas maestras de su política externa y trate de extender su brazo a los territorios que *nominalmente* habían formado parte de las *provincias hispanas.* Con los visigodos, por tanto, Hispania se independiza adquiriendo unos límites geográficos que permanecerán fijos hasta la Edad Moderna. Además, el bautizo del pueblo godo y los Concilios de Toledo sellan la duradera simbiosis de la Iglesia y el Estado: el reino visigodo continuaría la labor cristianizadora en el norte peninsular y el medio rural; el altar, la defensa de la estructura social y económica bajoimperial, que se impone a las masas populares de *vencedores* y *vencidos*.

De nada sirvieron las plegarias ante la tremenda fractura social generada por la desigualdad de fortunas y el sometimiento de la población. El alejamiento del *Estado oligárquico* de la sociedad desembocará en la ruina del reino, una vez que la derrota del 711 convierte el Islam en la tabla de salvación de las masas. Como por encanto, las gentes *hispanovisigodas* se transformaban en *hispanomusulmanas* al adoptar la fe de los *conquistadores,* grupo minoritario que, en principio, parecía destinado a sufrir la misma *absorción cultural* de los godos. A la imagen de *invasión,* herencia mitológica de la aristocracia militarista visigoda, hay que oponer, pues, el concepto de *revolución social:* los siervos se islamizaban para deshacerse del opresor, conservándose el parentesco racial entre los hombres y mujeres de la *Hispania islámica* y sus vecinos del norte.

Con las tropas victoriosas de Tarik y Muza la península recupera su esencia mediterránea, por un tiempo Bagdad y La Meca sustituyen a Toledo y Roma, aunque la primigenia *tolerancia* del Estado musulmán permita a las raíces clásicas y cristianas sobrevivir durante varios siglos. No obstante, la nueva *orientalización* ibérica también tuvo su precio; tras Poitiers el enfrentamiento de la Europa cristiana y el Islam profanó las tierras españolas, campo de batalla de dos mentalidades opuestas y excluyentes. Una lucha que expandirá entre las gentes peninsulares el sentimiento de *cruzada* y de *guerra santa,* rompiendo cualquier atisbo de convivencia. Como cantan los poetas de ambos bandos:

> Hoy el diablo ha retrocedido desembarazándose de la causa de los enemigos.
> Los partidarios de la herejía han sabido entonces en el extremo oriente donde están o en el extremo occidente que el fetichismo no era más que mentira.
> En Santiago cuando llegaste con las espadas blancas semejantes a una luna que se pasea por la noche entre sus estrellas...
> ...Qué bella es la vista de la religión en frente de su

fealdad y la frescura de la fe del partido de Allah en relación con su llama...

IBN DARRAY,
Loas a Almanzor por su victoria en Santiago

A grandes voces llama en que en buena hora nació:
Heridlos, caballeros, por amor del Creador!
Yo soy Ruy Díaz, el Cid de Vivar Campeador...

ANÓNIMO, *Poema del Mio Cid*

El mundo islámico fortalecerá, sin proponérselo, la diferencia norte/sur al enriquecer con su experiencia asiática la vida urbana de Andalucía, Levante y el valle del Ebro, tan antagónica a la sociedad agraria de las comunidades establecidas al norte del Duero o los Pirineos.

Mientras esto ocurre en el sur, los grupos contrarios a la *invasión* encuentran refugio en los intrincados valles cantábricos, astures y pirenaicos, cohesionan políticamente a sus habitantes y los incorporan a su empresa militar de *resistencia*. De esta manera, la semilla *visigoda* germina en unos territorios escasamente latinizados y cristianizados, con lo que los resistentes toledanos completaban la labor de la difunta Roma en la cordillera Cantábrica asumiendo a cambio algunos elementos *indígenas*. El aislamiento de los diversos enclaves y el grado de los aportes autóctonos darán pie a modelos dispares. En el caso de los núcleos cantábricos, la *legitimación* del poder y de la empresa reconquistadora empuja a los *monarcas* astures a reforzar su labor de *caudillos* militares —propia de la monarquía germánica— con enlaces matrimoniales en el seno de los clanes indígenas, asegurándose así la dependencia personal de sus miembros, a la vez que la Iglesia se comprometía en la defensa ideológica. La llegada de los mozárabes del sur, con su equipaje de tradición latina, y el prodigioso trabajo de los intelectuales de la corte de Oviedo en sus Crónicas, restablecerán finalmente el *vínculo histórico* que hará del *reino asturiano* sucesor legítimo del visigodo. Una sucesión en la que, por otro lado, se intentará involucrar a la Providencia con su *ayuda* en Covadonga y el descubrimiento del sepulcro del apóstol Santiago. En la región pirenaica, la resistencia cristaliza a causa de intereses externos: la necesidad de la corte carolingia de asegurarse el flanco sur mediante la creación de una *marca* defensiva.

La injerencia de Aquisgrán en Cataluña y el empuje de las sociedades pirenaicas en los siglos IX y X repueblan la región, organizándola a imagen y semejanza del resto del Imperio. Mientras, los sucesivos intentos de hacer lo propio en Pamplona terminaron en fracaso; primando, por contra, el apiñamiento de los clanes indígenas en torno a la familia Arista, que organiza el reino navarro con la inestimable ayuda de sus parientes mudéjares de Tudela. Los préstamos del Ebro islámico y posteriormente de la sociedad feudalizante gala quedan ocultos dentro de su mitológica *independencia* frente a Carlomagno: a la Covadonga astur se une pronto el Roncesvalles navarro como hitos en el ansia de *libertad* de los reinos cristianos.

La Reconquista y repoblación de las tierras arrebatadas al Islam acrecientan la personalidad propia de cada uno de los enclaves. En tanto los señores catalanes y aragoneses, incapaces de avanzar al sur por la barrera urbana del valle del Ebro y por la codicia de las parias del siglo XI, arrebatan libertad y propiedades al campesinado, esa *tierra de nadie* que era el *desierto* del Duero suponía una válvula de escape en Castilla y León. A diferencia de los *malos usos* catalano-aragoneses, los hombres meseteños conservaron un acusado grado de libertad, sobre todo en Castilla, donde las constantes aceifas musulmanas obligaban a combinar la espada y el arado. El salto del Duero al Tajo fortalece la *independencia* con los *concejos de frontera* y el conjunto de privilegios y franquicias concedido a sus moradores.

Enorme importancia tienen las derivaciones políticas de la disolución del Califato y el desmembramiento de *Al-Andalus* en los reinos de taifas. Si las proclamas de soberanía política y religiosa de los Abderramanes habían hecho resaltar la preeminencia del *marco peninsular* sobre el europeo-norteafricano, la crisis de Córdoba demostraba que la tentación centrífuga de las oligarquías hispanas afectaba por igual a ambos lados de la frontera cuando desaparece la cabeza defensora de la vida en *comunidad*. Ya había ocurrido en el siglo IX con Cataluña respecto del Imperio carolingio; a finales del X, con Castilla frente a León, y volverá a resurgir en el XII al separarse Portugal de la corona castellanoleonesa. Ahora la crisis dejaba a las sociedades islámicas a merced de sus belicosos vecinos norteños que sacarán el mayor rendimiento de su debilidad.

Gracias a su rápido asalto al mediodía los monarcas castellanoleoneses dispondrán de una formidable masa de recursos y de un arma jurídica sin igual —la facultad de legitimar la apropiación de la tierra— para situarse por encima de los *pares* del reino; en Cataluña y Aragón, por el contrario, los reyes agotaron pronto sus propiedades y hubieron de *pactar* con la oligarquía. Una oposición que deriva en la forma territorial de los Estados: los monarcas castellanoleoneses consiguieron superar las divergencias regionales y fusionar sus *reinos* con el señuelo de las tierras del sur; en el este, sin embargo, las elites no cedieron nunca al proceso integrador, sus presiones y recelos se plasman en la Confederación catalanoaragonesa, extendida después a Valencia ante la imposibilidad de compaginar los intereses contrapuestos de la oligarquía de ambos reinos.

Pese a las diferencias internas existentes, reafirmadas con la configuración de los idiomas —castellano, catalán, gallego-portugués, aragonés—, los reinos cristianos conservaron un cierto sentimiento de pertenencia a un pasado común, al que contribuyen la actividad de la Iglesia, los enlaces matrimoniales entre las monarquías y, sobre todo, la colaboración frente a un enemigo compartido. En algunas ocasiones, las herencias, y las intromisiones de los monarcas en los asuntos internos de sus vecinos, consiguieron resucitar aquella *unidad perdida*. Será, no obstante, Castilla quien termine por asumir, como tarea histórica, la reconstrucción de Hispania al declararse heredera de Asturias y Toledo mediante una rica tradición *goticista* de la que bebe Alfonso VII, autoproclamado *emperador de España*.

El salto castellano del Duero al Tajo y el aragonés al otro lado del Ebro acercan un poco más los dos reinos, dejando a Navarra encajonada y a merced de sus poderosos vecinos. Ambos emplean idénticos estímulos para atraer repobladores, implantan las mismas órdenes religiosas y popularizan las actividades ganaderas. El Camino de Santiago y las peregrinaciones jacobeas también trabajaron en esa dirección, al importar las corrientes culturales europeas. No hay más que observar, por ejemplo, las semejanzas entre el románico de Aragón, Castilla y Galicia, o la reproducción de los fueros urbanos para comprobarlo. Además, a hombros de los *segundones* franceses, enrolados en las huestes de los monarcas hispanos, y el Cluny, en el siglo XI cruzan los Pirineos los influjos del *feudalismo* galo que aceleran la *militarización* política y económica de las sociedades navarra, aragonesa, portuguesa y castellana. Y con ella, el ansia de botín, en detrimento del despegue de la *burguesía* autóctona, ahogada en un marco social asfixiante. Sólo en Cataluña la burguesía renueva su brío, enriquecida por el comercio entre la Europa feudal y las taifas, el interior peninsular y los productores orientales. Pero con los *peregrinos* viajan una variada gama de *prejuicios,* que ahondan la sima entre los reinos cristianos y el Islam, dando pábulo sus relatos a visiones deformadas de la realidad hispana, que envenenan las relaciones con el resto del continente.

Tras los rápidos avances del siglo XII en La Mancha, Andalucía y Levante —Fernando III y Alfonso X de Castilla y Jaime I de Aragón— las sociedades peninsulares han de afrontar nuevos problemas. La falta de mano de obra y el peso de las clases militares fuerzan una distribución de la tierra en grandes lotes que benefician, en exclusiva, a los grupos nobiliarios y a la Iglesia, acrecentando su poder político y social. Al margen de diversidades regionales nace, ahora, un sur —sea castellano, portugués o aragonés—, dominado por los señoríos y la gran propiedad. Los dos se dilatan con el saqueo de los bienes de la corona y los concejos en la baja Edad Media y las crisis de la monarquía en la Moderna, y con la desamortización del siglo XIX, que origina el latifundismo contemporáneo. Junto a los *hombres libres* y la pequeña propiedad castellana al norte del Tajo, va en aumento la masa de los españoles desposeídos.

Por otro lado, castellanos y catalano-aragoneses se enfrentan a partir del siglo XIII a una sociedad *multirracial,* al absorber por *derecho de conquista* a hispanomusulmanes y judíos. Las gentes cristianas se encontraban, de repente, ante la necesidad de vivir con los *otros,* pero ahora desde una posición minoritaria en Andalucía y Valencia. A la tolerancia del Imperio romano o de Al-Andalus, donde el poder se autoproclamaba defensor de las *religiones del libro,* la sociedad cristiana responde con hostilidad o recelo. De todos modos hay que reconocer que las comunidades *distintas* gozaron en la Edad Media de la protección de reyes y nobles ante el clamor eclesiástico y la violencia populista: los musulmanes, porque constituían una mano de obra campesina, barata y sumisa; los judíos, por su labor de intermediarios del mundo cristiano e islámico, su eficaz trabajo en la administración real y las finanzas y, sobre todo, su absoluta lealtad a la monarquía.

Las posibilidades abiertas por la libre convivencia de cristianos, musulmanes y judíos tienen su mejor representación en el *renacimiento* cultural de las cortes de Alfonso X y Jaime I y en la Escuela de Traductores de Toledo, pero el respeto se quiebra en el siglo XIV. La crisis económica y demográfica, unida a la incapacidad de las coronas en el mantenimiento del orden público, degenera en violencias contra las aljamas en Cataluña, Aragón y Castilla. Expuestos a los ataques de unas masas azuzadas por sermones *incendiarios,* judíos y musulmanes comienzan un interminable éxodo, que habrá de conducirles a su *expatriación* definitiva. De momento, numerosas familias hebreas abandonan las urbes catalanas para buscar refugio en Castilla, mientras los musulmanes andaluces huyen hacia Granada. Su situación se agrava en tiempos de los Reyes Católicos: al concluir en 1492 la Reconquista, cientos de familias islámicas cruzan el Estrecho y se asientan en el norte de África; los que deciden permanecer en seguida sufren el acoso de los poderes eclesiásticos.

Dos rebeliones en menos de una centuria y la expulsión de los *moriscos* en el siglo XVII cierran las páginas del *pasado islámico español.* El mismo año en que cae Granada, se expulsa a la minoría hebrea: la unidad religiosa camina eliminando a los *diferentes,* a quienes sólo se ofrece la *gracia* del bautismo para continuar en su tierra. Muchos optan por salir de Sefarad, otros por cambiar de religión, pero el *estigma* de la *sangre contaminada* acompaña siempre, con su pesada carga sociológica y cultural, a los conversos. El problema de la *intolerancia,* habitual en toda la Europa de la época, se complica en España por el mestizaje de siete siglos de vida en común: hasta Fernando de Aragón llevaba en sus venas sangre judía. La expulsión de musulmanes y judíos y las persecuciones contra los conversos empobrecerán la sociedad hispana, por más que las raíces orientales se replieguen al ámbito de lo popular, donde perviven en los hábitos alimenticios, de vida, vestido o lenguaje, sin faltar tampoco en la actitud *transgresora* de muchos intelectuales conversos, poco dados a refrenar sus diatribas contra la Iglesia y el poder establecido.

La baja Edad Media trae consigo otros cambios importantes en los *cinco reinos.* La conquista de Al-Andalus aporta a Castilla la savia de las ciudades islámicas, con su multiplicidad de actividades artesanas y mercantiles, que se incorporan al triángulo de oro de las *ferias* de Valladolid y a las exportaciones laneras de los puertos norteños para constituir el corazón económico del reino. Gracias a la lana, Castilla se abre al norte de Europa mientras los intereses económicos estrechan los lazos de la Meseta con Andalucía y las *ciudades* del litoral cantábrico. Otro tanto sucede en la Confederación aragonesa, donde Cataluña celebra el esplendor comercial de Barcelona o Tortosa y el desarrollo del artesanado gremial, que empuja al Principado hacia el Mediterráneo. Concluidas sus campañas en la península y malogradas sus aspiraciones al norte de los Pirineos, los reyes aragoneses buscan su futuro por las islas del *mare nostrum,* a remolque de los negocios de la burguesía barcelonesa. Incrementan así sus roces con París y su dependencia de los nobles, que se cobran la ayuda con *mercedes* y un estatuto jurídico privilegiado, debilidad del poder real que se agrava con la llegada al trono de la familia Trastamara, más preocupada por intervenir en Castilla que en fortalecer la corona.

También en Castilla la monarquía pierde parte de sus prerrogativas al frenarse el ímpetu conquistador y acabarse los recursos. La falta de tierra con que compensar a los fieles obliga a la corona al pago de *soldadas* en metálico y a la adopción de impuestos sobre la artesanía, el comercio y los ingresos de la Iglesia, que conformarán la base de la Hacienda española hasta las reformas del XIX y, aun después, con los *Consumos* y el *IVA*. En compensación, los representantes de las principales ciudades se integrarán en los Consejos Reales, dando origen a las Cortes. No obstante, la monarquía se reservó en Castilla un amplio margen de maniobra frente a la acción fiscalizadora de sus súbditos, lo que nunca lograría en la Confederación aragonesa. Así mismo, ante las injerencias de los nobles, la monarquía persiguió la alianza de la burguesía urbana, deseosa de restablecer la paz necesaria a sus negocios, y, a menudo, de la Iglesia, harta de los despojos de la aristocracia. Por último, la recuperación del derecho romano, después de varios siglos de olvido, fortalece la figura regia como *fuente de la ley*. Aunque todavía sea pronto y numerosos espacios permanezcan al margen de la justicia real, el derecho romano estrecharía las relaciones entre los territorios de los diferentes reinos, estableciendo un modelo común para todos ellos. Las fórmulas *forales,* tan frecuentes en el medioevo, se tornan excepcionales, y las que sobreviven darán respuesta a situaciones muy específicas: pobreza del espacio, difícil comunicación con la corte que favorece el autogobierno en cuestiones secundarias, desarrollo histórico diferenciado...

> La gente de España llamava «¡Aragón!»,
> e todos «¡Navarra!» los de su quadrilla;
> e los que guardavan el noble pendón,
> do era pintada la fogosa silla,
> llamavan «¡Mallorca, Cerdeña e Ceçilia...!»
>
> MARQUÉS DE SANTILLANA

Desde los parámetros bajomedievales es como hay que entender la convergencia de las coronas castellana y aragonesa a finales del siglo xv. En esa hora los dos reinos pasaban por situaciones comprometidas. Pese a su prosperidad económica, Castilla se desangraba en plena anarquía al tiempo que en Aragón las tensiones derivaban en guerra civil, asestando un golpe mortal a la dinámica Cataluña, cuyo cetro pasa a Valencia. Con este panorama la boda de los herederos de las dos ramas Trastamaras no era simplemente una cuestión de familia, sino que colmaba las apetencias e intereses de las dos monarquías. Juan II de Aragón apostaba por Isabel porque veía en ella un útil aliado, aun a costa de intervenir en la meseta para conquistar la corona de su nuera; la futura *reina católica* podía vender a sus partidarios el logro de las aspiraciones castellanas de resucitar la vieja Hispania. No obstante, al concretarse las relaciones entre los diversos territorios triunfa la visión confederal aragonesa, partidaria de una unión personal y dinástica. El antiguo *patrimonialismo* medieval sobrevive así en la teoría, por más que en la práctica los estados peninsulares queden trabados por vínculos *indisolubles*. Y nada mejor para representar este tradicionalismo que la larga lista de dignidades ostentadas por Isabel y Fernando, quienes rehúsan la titulación de «reyes de España» propuesta por el Consejo Real una vez reunida la mayor parte de la península, porque sin Navarra y Portugal estaba incompleta.

Por su potencial económico y humano, libertad de acción de la corona en relación a las Cortes y la nobleza y posición geográfica, Castilla asume pronto el liderazgo de la monarquía. Deseosos de consolidar los lazos peninsulares, los Reyes Católicos encuentran en el pasado el mejor ejemplo a seguir: a la lucha contra el Islam sucede una agresiva política exterior como *medio* de agrupar a todos sus súbditos en un objetivo compartido. Granada será la primera gran empresa de carácter *nacionalizador,* que redondea las aspiraciones de Castilla de terminar la Reconquista, pero no tardan en seguirle las intervenciones militares en Italia —donde se satisface a los catalanes a costa del enfrentamiento con Francia—, la conquista de Navarra y la expansión ultramarina. Sólo los portugueses se mantienen ajenos a la política guerrera; sus viejos conflictos con Castilla dan paso ahora a una estrategia de buena vecindad y enlaces matrimoniales, orientados a mantener viva la llama del *iberismo.*

Plantada la cruz en la Alhambra, Isabel y Fernando imponen la unidad religiosa como trabazón de la política. Después de los asaltos nobiliarios del siglo XIV, la Iglesia española siente renacer su poder como notario de la nueva monarquía con sus haberes por los diezmos, la jerarquía integrada en los órganos del Estado y el dominio ideológico a través de la Inquisición. Poco dura su alegría, la corona corta pronto sus alas al obtener del Papado los medios para controlarla y llevar adelante los planes de reforma que exigía su relajación, motivo de críticas desde la baja Edad Media.

Con las guerras contra Boabdil o las conquistas italianas, la monarquía ofrece, además, una *salida honorable* a la belicosa nobleza, mientras la Santa Hermandad impone la paz en el interior. Privados de otros medios de sustento, los segundones hispanos acabarán enrolándose en el ejército que los monarcas crean en Italia, origen de los temidos Tercios, o en la balbuciente burocracia cortesana, en búsqueda de su promoción económica y social. Tampoco la alta nobleza sintió excesiva animadversión hacia las reformas de Isabel y Fernando, ya que si bien fue desplazada del *Estado,* no se cuestionó su primacía en momento alguno. Es más, todos sus miembros fueron considerados príncipes en sus dominios, sin graves interferencias de la monarquía, en tanto se acelera el emparentamiento de las grandes casas nobiliarias de los reinos peninsulares que daría origen a una *aristocracia española,* abierta, así mismo, a italianos y flamencos. De esta manera, al superar el estrecho marco de los *reinos* el comportamiento de estas elites va adelantándose a la idea de *España*.

Peor suerte corren los campesinos gallegos, andaluces, valencianos y aragones, cuyas condiciones de vida no mejoran con la *unificación*. En Cataluña, por el contrario, la sentencia de Guadalupe pondrá fin a los excesos más reprobables del modelo de dependencia feudal. El malestar permanecerá latente en el agro español, explotando en momentos de inestabilidad económica y política, aunque con menor frecuencia que en los países de la Europa Occidental. Quizás el desarrollo de las instituciones de caridad, públicas y privadas, tenga que ver con esta anestesia de la conflictividad.

Finalmente, la monarquía católica amplió los intereses económicos de los territorios peninsulares, ganándose la colaboración de las minorías burguesas y comerciantes periféricas: Castilla enriquece con las transacciones laneras el eje Burgos-Bilbao; Sevilla medra espectacularmente con la apertura de América y se transforma en una ciudad cosmopolita durante los siglos XVI y XVII; Valencia se convierte en el *puerto castellano* del Mediterráneo al cerrar el circuito con Toledo e Italia.

En 1492 el descubrimiento de América, con su posterior conquista y colonización, coronan la fortaleza de la monarquía hispana. Hacia allí acaban exportándose todos los males que tenían asiento en la península —intolerancia religiosa, ansia de botín, injusta división socioeconómica— hasta modelar una sociedad gemela de la metrópoli; pero ello no empaña la épica de los colonizadores ni algunos de sus logros como el mestizaje, la defensa legal de los indios y la expansión del catolicismo o la cultura clásica europea.

El *esplendor* del reinado de los Reyes Católicos, cuya gloria resiste por siglos en el subconsciente colectivo del país, se malogra en las centurias posteriores pese a la efervescencia del *Imperio*. Como resultado de la política matrimonial ensayada por Isabel y Fernando, los reinos hispánicos se ven integrados en aquella *casa común europea* que fue la monarquía de los Habsburgos, a cambio de su independencia. Si Castilla conserva su posición de cabeza dirigente, lo es a costa de su ruina económica y del peligro de descomposición de la unidad tan arduamente perseguida. Henchidos de ideales universalistas, Carlos I y Felipe II no repararon en el alto precio de sus metas ni tampoco los *españoles* pudieron poner límite a las maniobras reales, tras la derrota de los comuneros castellanos y las germanías valencianas. A raíz de Villalar, Castilla, primera víctima del Imperio, asiste inerme al abatimiento de sus libertades políticas y a la completa inoperancia de sus Cortes, donde la hacienda habsburguesa encontraba campo libre en su demanda abusiva de recursos. No será la única consecuencia del triunfo de los ejércitos reales. Ante el riesgo de conflictos, las elites de todos los reinos de la monarquía vuelven sus ojos a la corona como garante de la paz interna y el *statu quo* socioeconómico. La corona recompensa su fidelidad, y aunque separadas de la administración del Estado, disfrutan de privilegios fiscales y jurídicos y del reconocimiento de una estratificación honorífica con la figura del Grande de España en la cúspide.

El costoso mantenimiento de la idea imperial, incrementado por el cesarismo de Carlos I —digno sucesor de los caudillos medievales hispanos—, y el empeño de Felipe II de hacer de la monarquía hispana *espada de la fe* devoraron los ingresos de las Indias, cuyos tesoros enriquecen a los banqueros europeos sin fructificar en el país. Además, las progresivas necesidades del erario fueron una dura competencia para productores y comerciantes, llevando a la ruina a la burguesía autóctona y, con ella, a la industria y artesanía peninsular que, poco a poco, es desplazada por los fabricantes extranjeros en los mercados nacionales y americanos. Se da así la paradoja de que la metrópoli del mayor imperio conocido termine siendo una mera colonia comercial del resto de las naciones europeas.

En la huida burguesa de los negocios influye también, de manera notable, el auge de la mentalidad nobiliaria de origen bajomedieval, con su desprecio de las actividades mercantiles y productivas. Una vez enriquecidos, los burgueses españoles dirigieron sus capitales a la tierra o la deuda pública en un paso previo al ennoblecimiento y al abandono del comercio. Sin medir los riesgos, la misma monarquía participa activamente en el reciclaje al poner en venta una riada de cargos, beneficios y títulos en el siglo XVII. Hay quien ha querido ver en la traición empresarial de la burguesía un efecto indirecto de la influencia del catolicismo en la vida pública y privada española frente al activismo de la *ética protestante* o el *pragmatismo judío* como promotores del progreso económico, pero no faltaron nunca hombres de negocios hispanos a ambos lados del Atlántico que demuestran lo contrario.

Caballero andante del catolicismo en Europa, la monarquía de Felipe II hace de la Iglesia un escudo más del fortalecimiento regio, tomando sus riendas e impregnando de barniz religioso la vida peninsular. La España cosmopolita de Carlos I se hunde cuando aparecen los primeros brotes de *protestantismo*. Mientras el *misticismo* se adueña del pensamiento nacional, y la Inquisición corta por lo sano cualquier conato de rebeldía cultural, religiosa o sexual, la península se aleja de la revolución científica, tecnológica y moral que se iniciaba en el continente. El retraso intelectual no se recuperará nunca, reafirmando la imagen de una España negra, dominada por una religión asfixiante, que impide su progreso.

La monarquía universal ratifica los ejes económicos heredados de los Reyes Católicos, pero además, el lento despoblamiento de Aragón refuerza su *castellanización* económica y la incorporación de Portugal, los vínculos entre Castilla y Lisboa: la España de los negocios se adelantaba a la España política.

En la posterior configuración de España tienen especial relieve la creación por los Habsburgos de la burocracia madrileña y la universidad leguleya y teológica, modernos nexos de comunicación y control de los diversos espacios peninsulares. Al rey-caudillo le sustituye el rey-burócrata, que si bien reconoce la autonomía fiscal, militar o judicial de sus estados al respetar los fueros, no por ello deja de intervenir en circunstancias graves, a través de sus funcionarios. Entre ellos destacan los hidalgos vascos, los *vizcaínos,* que serían los primeros en plantear la necesidad de imponer los estatutos de *limpieza de sangre* en el acceso a las carreras públicas; se desembarazaban así de la peligrosa competencia de los escribientes conversos, los únicos que podían hacerles sombra en Madrid. También la Iglesia colabora a trabar los territorios hispánicos, tanto por la acción pastoral de los obispos, elegidos por el monarca, como por el trabajo de la Inquisición, para la que no existían fronteras interiores.

Sobre estos pilares descansa la figura del rey, representación *totémica* de la monarquía y fuente de la cascada de privilegios y prerrogativas que distribuía el Estado entre los notables. A través de su dependencia personal y de la lealtad politicorreligiosa debida por los súbditos a la corona, los Habsburgos españoles pudieron asegurarse el engarce de sus bienes hispanos. En esta función icónica, cobraría notable importancia la forma barroca y teatral con la que la corona *representaba* su papel, su sacralización y la manipulación propagandística de las artes y las letras al servicio de una imagen grandiosa del soberano y su familia, sinónimos del conjunto de la monarquía.

Del mismo modo, la expansión del castellano como lengua franca en los niveles administrativos y en la convivencia de las elites aportó un nuevo eslabón a la unidad. El bilingüismo de las clases cultivadas, incluidas las portuguesas a tenor de la obra de Camoens, abría camino al entendimiento entre los idiomas peninsulares, aunque la fortaleza de la burocracia, la *Gramática* de Nebrija y el Siglo de Oro jugasen a favor del castellano. Empuje interno que tiene su correlato en el extranjero cuando el idioma de *La Celestina* resuene en los palacios como lengua de cultura y hasta en la Santa Sede como lengua diplomática, una vez rota por el embajador hispano la tradición de dirigirse al Papa en latín.

> Porque te veo andando entre zarzales
> por todos los caminos rezagada
> con una cruz al cuello y otra al hombro,
> durmiendo en las cunetas de la gloria
> para soñar perdidas carabelas
> con ojos anegados de ceniza
>
> ÁNGELA FIGUERA

El modelo imperial se agota en el XVII: la crisis económica, demográfica y financiera arruina a Castilla, que es superada por la periferia. Los intentos del conde-duque de Olivares de reafirmar la unidad política en el campo fiscal y militar se estrellarían contra la férrea resistencia de los territorios forales a sufrir la misma postración castellana. Las sublevaciones de la década de 1640 a punto estuvieron de malograr la obra de los Reyes Católicos, aunque finalmente sólo Portugal se separaría de la corona para caer dentro de la órbita inglesa. En Cataluña las elites buscaron, así mismo, el apoyo externo a fin de consolidar su posición secesionista, pero aquí pudo más la tradicional enemistad francocatalana, el ahínco de los ejércitos reales y la transigencia de Felipe IV hacia un territorio considerado parte intransferible de su monarquía. Mientras, la economía se hunde, la picaresca y una nobleza mal entendida van engangrenando el tejido social y la oligarquía se enquista en el poder sin que el trono, incapaz de perpetuarse a sí mismo, pusiese freno a su apetito. El gobierno de los Grandes demuestra, sin embargo, el formidable trabajo de la maquinaria burocrática: el país continúa su marcha sin un monarca poderoso, o con uno funesto, en un disparatado esperpento histórico en el que la monarquía sobrevive a su propia ineptitud.

Frente a los problemas internos, el país va fraguando en la conciencia europea la imagen de un todo que borra las diversidades hispanas. La España guerrera y salvaje de la *leyenda negra* se expande por Flandes, Alemania, Gran Bretaña, Francia..., y en Italia, los influjos y las modas asientan un modelo hispano de cultura que se expresa con la acuñación del patronímico *español* para referirse a los peninsulares. La misma dinámica que impone en la península el sentimiento de afinidad, cuyo reflejo inconsciente conjuga el orgullo del Imperio y el rechazo a los enemigos comunes que presionan en las fronteras terrestres, en las colonias o en Europa.

Después de los amargos acontecimientos de 1640 y de los atropellos de las potencias europeas a finales de la centuria, el siglo XVIII inicia un cambio de rumbo con el acceso a la corona de una dinastía, cargada de ideas europeizantes, y una guerra civil entre los partidarios de los candidatos al trono de Carlos II. El país saldrá de este conflicto interno y, a la vez, continental, fuertemente trasformado; rota su economía por el estrangulamiento de las rutas americanas y maniatado en política exterior por la alianza pertinaz con Francia, de desastrosos efectos para la península y América. Como respondiendo a criterios históricos, la guerra divide el país en dos bloques territoriales encabezados por Castilla y Cataluña: no hay en ello afanes secesionistas, sino dos maneras diferentes de entender la monarquía que se solapan a otros enfrentamientos de origen socioeconómico. El bloque catalanoaragonés defiende el concepto confederal heredado de los Austrias, que tan buenos dividendos les había rendido y en el que confiaban completar la recuperación económica detectada desde fines del XVII. Frente a él, la victoria de Felipe V y las teorías centralizadoras francesas, lo era también del antiguo proyecto castellano de fusión, fracasado en el siglo anterior por las maniobras de la oligarquía periférica. Lo que no pudo ser en el XV, a pesar del ímpetu económico y demográfico castellano, se conseguía ahora por la fuerza: la Castilla agraria imponía su modelo a la España costera, más dinámica y activa, en plena decadencia. No hay que olvidar en este cambio de actitud el empuje de las masas campesinas y urbanas, en pos de sus intereses, por encima de consignas *regionalizantes,* aunque al final los Borbones restauraran el pacto corona-oligarquía como base de su Estado, una vez depurados los colaboracionistas del archiduque. Tampoco la burguesía catalana, alma del Principado, llevó muy adelante sus quejas, tras solucionar favorablemente la cuestión impositiva y militar. La tentación que suponía la apertura del tráfico con América desde mediados de siglo y el apetitoso bocado del mercado peninsular acallaron pronto las críticas. Los Borbones aprendieron el delicado juego de equilibrios, característico de sus predecesores compensando con su merced a las indianas barcelonesas la abolición del régimen político que regulaba la vida de Cataluña. Sólo las Provincias Vascongadas y Navarra vivieron al margen del proyecto uniformador. La fidelidad mostrada a Felipe V les favoreció, como el hecho de que el modelo foral vasco se integrara desde antiguo en el esquema político castellano sin suscitar problemas demostrando su buen funcionamiento los últimos siglos. Además, siempre se podría utilizar la amenaza de desviar el tráfico comercial hacia Santander para apretar las clavijas a los comerciantes.

Los decretos de Nueva Planta constituyen, por tanto, un paso significativo en la conformación «administrativa» de España, al impulsar una política centralizadora, fijar un único derecho para la mayor parte del país y establecer unas Cortes comunes sin las cortapisas de las de Aragón. Se facilita así la labor de los delegados regios en los territorios orientales, mientras el *Catastro* acrecienta su colaboración financiera en los gastos de la monarquía sin imponer, por ello, una presión fiscal excesivamente onerosa. El propio gobierno sufre las arremetidas del reformismo borbónico de la primera mitad de siglo: desaparecen los Consejos, bastión de la nobleza reaccionaria, y se reglamenta el trabajo de las Secretarías y los Intendentes, delegados especiales en los reinos.

Después de Utrecht, España deja de lado la óptica continental para centrarse exclusivamente en América, donde la corona promueve una renovación profunda que, a menudo, le granjeará la animosidad de las elites criollas. Cerrada la herida flamenca, el ejército se repliega en la península y asume la defensa del orden público, acantonando las tropas cerca de la corte, las grandes urbes y las fronteras. La creación de las Capitanías Generales refuerza la estrategia unificadora de la monarquía, aunque la idea de dotarse de un ejército nacional mediante el servicio militar obligatorio y el sistema de levas castellano habrá de aparcarse por las resistencias de los territorios levantinos. Los privilegios de las provincias vascas y los cupos catalanoaragoneses hicieron que el ejército continuase siendo eminentemente castellano y puerto seguro de la pequeña nobleza meseteña. Falto de dinero y estrategia, el ejército demostró escasa capacidad de respuesta ante los desafíos exteriores, saldando el siglo con un alud de fracasos. Por el contrario, el flanco americano impuso el fortalecimiento de la armada; con el trabajo de los astilleros hispanos y coloniales, el reino consiguió sostener las vías atlánticas y defender su puesto de potencia media.

El Estado toma un rumbo inesperado durante el gobierno de Carlos III con la alianza tácita de la burocracia, la corona y la *intelligentsia,* imbuida de las Luces. En el sentir de los minoritarios grupos ilustrados, la monarquía debía ser la gran palanca de la modernización de España y de la felicidad de sus habitantes. Nada se escapa a la piqueta de los intelectuales: el atraso económico, los pobres resultados de la agricultura, el agobiante peso de la Mesta, el anquilosamiento nobiliar, la Iglesia... Sus reflexiones guiarán la acción real hacia la superación de la herencia recibida, mientras se sustituyen las antiguas legitimaciones divinas por las modernas del patriotismo o los derechos individuales. No obstante, el frente intelectual pronto se estrella ante la imposibilidad de avanzar en el proceso reformista sin poner en entredicho el orden social establecido. La debilidad de la monarquía de Carlos IV y su carrera contra reloj por encontrar bases firmes arrumba los aires renovadores, muy castigados ya por el estallido de la Revolución Francesa que obliga al Estado a defender el Antiguo Régimen y a la corona a restablecer los lazos con las viejas elites. La *traición* de la monarquía alargó el triste panorama de la masa campesina andaluza y extremeña, en tanto su desprestigio fomentaba el convencimiento de que el cambio sólo llegaría desde la ruptura revolucionaria. De esta forma, el fracaso de la Ilustración ampliaba la grieta entre quienes se afanaban en perseguir la modernidad y los que anclados en el pasado defendían tercamente sus privilegios: empezaba a fraguarse el conflicto de las dos Españas, aunque de momento en ámbitos muy restringidos. A finales del XVIII, la balanza se inclina del lado del reaccionarismo político y su catastrófica imagen de la pérdida de supuestas esencias nacionales a manos de los conspiradores de las Luces y la Revolución. No por mucho tiempo.

En su afán organizador de la nueva España, los Borbones topan al punto con la Iglesia, a la que exigen, no ya lealtad y colaboración política, sino sometimiento como un brazo más del Estado. Nunca habían faltado en la monarquía *católica* los intelectuales críticos ante el excesivo poder acumulado por la Iglesia, pero en el Siglo de las Luces ésta se transforma en blanco predilecto de cuantos buscaban las raíces del atraso hispano. Las tensiones Iglesia-Estado arrecian en tiempos de Carlos III, cuyo golpe de efecto de la expulsión de la Compañía de Jesús tras el motín de Esquilache demuestra el compromiso de la corona en imponerse a los representantes del mundo *espiritual*. Éstos no siempre permanecerán callados. Ilustrados, masones y revolucionarios tienen el dudoso honor de suplantar a iluminados, luteranos, quietistas y criptojudíos en los afanes cinegéticos de la Inquisición y en los escritos de los clérigos más reaccionarios. Su interesado trabajo reduccionista metió a todos los disidentes en el mismo saco de la herejía, achacándoles el declive de España y la pérdida de su identidad patria.

De la misma manera, el omnipresente Estado borbónico extiende sus tentáculos a la economía. Tras la decadencia del XVII, los gobiernos dieciochescos se arrogan la misión de activar la industria y el comercio como medio de acercar España a los países de su entorno, según las propuestas de los pensadores ilustrados y las necesidades políticas de la monarquía. Aun a costa de suplantar, en ocasiones, a la iniciativa privada, el desarrollo por el Estado de industrias básicas y de lujo, equilibró la balanza de pagos y elevó el nivel productivo y tecnológico del país, con Cataluña a la cabeza del empuje industrializador. Otro tanto puede decirse del ámbito comercial, donde los primeros Borbones introducen el modelo de las compañías privilegiadas para incentivar el capitalismo autóctono, consiguiendo aumentar el volumen de géneros españoles en las colonias. Desde mediados de siglo, sin embargo, triunfan los partidarios de la libre competencia —fin del monopolio gaditano de las transacciones con América—, lo que estimulará todavía más el comercio.

España contempla impotente al avance del latifundismo y las manos muertas; Andalucía va camino de ser el *problema nacional* de la centuria próxima; en Galicia el minifundismo obliga a emigrar y la proletarización de las masas campesinas resulta imparable al sur del Tajo. Levante y Cataluña, en cambio, soslayan los problemas con relativo éxito gracias a su agricultura especializada en contacto con

América. En principio, los gobiernos carolinos optaron por no inmiscuirse demasiado en la estructura socioeconómica del campo hispano, a fin de no perjudicar sus relaciones con los notables rurales: la política hidráulica y la liberalización del mercado de alimentos parecían medidas suficientes. Se trataba, claro está, de una opinión ingenua, pues no tenía en cuenta la capacidad de los propietarios de manipular los precios y proseguir en su empeño de acaparar la tierra. Después de las violencias de 1766, los repartos de tierra y la puesta en explotación de terrenos concejiles de Extremadura, Andalucía, La Mancha o la repoblación de Sierra Morena; y las pragmáticas sobre los foreros gallegos intentaron dar remedio a las situaciones más difíciles del campo español. Sin embargo, la inquietud estatal se estrelló contra el inmovilismo y los intereses de los poderosos, que paralizaron todo intento de *reforma agraria* o de imponer, a través del catastro, cualquier contribución sobre sus bienes. Un juego peligroso, dada la enorme conflictividad social latente, pero que reporta grandes beneficios a los privilegiados, lo que les motivó a repetirlo para obstaculizar los planes renovadores de José Bonaparte.

La bandera que bordas temblará por las calles
entre el calor entero del pueblo de Granada.
Por ti la Libertad suspirada por todos
pisará tierra dura con anchos pies de plata.
FEDERICO GARCÍA LORCA

En 1808 la guerra *popular* contra el francés acrecentó el sentimiento de pertenencia a una *comunidad española* aunque, en un comienzo, la movilización partiera de la Iglesia y la nobleza en defensa de sus prerrogativas. Frente a las amenazas de los herederos de 1789 a la libertad nacional, al rey ausente y a la fe, la España conservadora levantaba de nuevo el espíritu de la Reconquista. En contraposición a esta cruzada reaccionaria, las Cortes de Cádiz izarán la bandera del liberalismo y el nacionalismo, dos caras de una misma lucha progresista a favor de los derechos individuales y colectivos, como medio de superar la sociedad de los *privilegios* y dar paso a una España renovada. Con el trabajo intelectual de los diputados gaditanos, despunta la *nación española,* por encima de diferencias culturales y políticas, al otorgarse a todos los *ciudadanos* los mismos derechos y obligaciones. No obstante, el modelo instaurado en Cádiz sigue adoleciendo de un exceso de elitismo. Como en el XVIII, reaccionarios y progresistas constituyen minorías, sin la fuerza suficiente para imponerse una sobre otra e incapaces de llegar a un acuerdo, lo que provoca una inestabilidad generalizada durante toda la centuria. La monarquía, lejos de mantenerse al margen, se comprometerá, según el único criterio de sus propios intereses y los de las clases acomodadas, desprestigiando la institución y poniendo en peligro su supervivencia.

El final de la guerra de la Independencia supone también el descabezamiento de una parte de la intelectualidad implicada en las reformas napoleónicas. Herederos de la Ilustración del XVIII, los *afrancesados* vieron en Bonaparte al esperado impulsor del país desde la cabeza, un pensamiento propio de la centuria precedente, y terminaron por salir al exilio tras su derrota. Se estrena así el camino que habrían de seguir tantos españoles, fieles a sus ideas políticas, utilizado poco después por los liberales de Cádiz y culminado en 1939 con la riada humana, víctima de la última guerra civil.

Aún así, las transformaciones eran demasiado hondas para no dejar huella. La pérdida de las colonias, fruto del liberalismo americano y de la oposición de las elites criollas al absolutismo fernandino, cierra una etapa de la historia hispana, el Imperio, y, tras el *triunfo* liberal de 1833, el Estado se vuelca en la formación de la nación española. La guerra civil contra los partidarios del absolutismo, liderados por el infante don Carlos, exigió al liberalismo encontrar un recambio que sólo podía ofrecérselo el despliegue del moderno concepto de nación. Por otro lado, la disolución de los señoríos y de los estamentos privilegiados, privaba a la corona de sus anclajes aristocráticos en los territorios peninsulares, cuando tampoco contaba con la Iglesia, definitivamente enemistada por la desamortización, pero que ya había demostrado sus dificultades para integrarse en el orden burgués.

Lamentablemente, el espíritu progresista con que surge el nacionalismo español en la bahía gaditana se diluye conforme pasa la centuria y el poder recae en manos de la burguesía moderada isabelina. Colocando por encima de los intereses del *pueblo* los suyos propios, la burguesía triunfante evita profundizar en la reforma económica y social que hubiese liberado a las masas campesinas —más del 66 por 100 de la población española en una fecha tan tardía como 1855— de su atraso, sometimiento y pobreza. Frente al campesinado, la burguesía decide pactar con las elites laicas del viejo orden: la nobleza aceptará gustosa la mano tendida, preservando así su poderío económico y ascendencia social. Una minoría se opondrá, recalcitrante, a los *progresos* de la España burguesa, pero, después del abrazo de Vergara, el carlismo apenas es un elemento testimonial, más un reaccionarismo político de base teológica que un verdadero oponente al sistema.

Partiendo de estas premisas ideológicas, la España del siglo XIX se construye sobre los cimientos del derecho emanado de las Constituciones y los códigos; sobre la centralización administrativa y la moderna organización provincial, con su pirámide burocrática de ayuntamientos y diputaciones que compensan la desaparición de los vínculos señoriales; y sobre el mercado unificado, una vez trasladadas las aduanas vasconavarras a la costa en 1841. La idea de España camina rauda con la marcha de los negocios de la burguesía catalana y vasca y los terratenientes andaluces y castellanos, teniendo un notable acelerón, mediado el siglo, con el tendido del ferrocarril, motor de la unidad al romper las barreras geográficas, acercar unos territorios a otros y favorecer el movimiento de hombres, capitales y opiniones. Por último, la educación y la cultura, convenientemente instrumentalizadas, coronarían el esfuerzo nacionalizador.

Faltó, sin embargo, un proyecto común capaz de suscitar el entusiasmo de los diversos componentes de la monarquía como ocurriera en el resto de Europa. No contó España con la fuerza atrayente del nacionalismo italiano o alemán, ni tampoco con el reto colonial de Francia, Gran Bretaña o Bélgica. Justamente lo contrario, es ahora cuando el viejo sueño americano naufraga, haciendo añicos durante cien años las relaciones entre ambos continentes hispánicos. La guerra de África pudo haber tomado el relevo, pero ni la capacidad militar ni la financiera avalaron la aventura.

Desplazado del poder político por las maniobras conjuntas del moderantismo e Isabel II, el progresismo se refugia en las tertulias de café, las sociedades secretas y el ejército, encontrando en los movimientos revolucionarios o las intentonas golpistas las únicas vías para alcanzar sus metas. Sin querer daba alas al intervencionismo de los generales, muy crecidos por la ineficacia de los políticos, las guerras civiles y su importante contribución al mantenimiento del orden público. Ociosos en el exterior, los *espadones* reemplazan a los políticos, con el respaldo de la monarquía, los partidos o la prensa. Bajo la falaz máscara de la opinión pública, nunca antes ni después —excepción hecha quizás de la transición democrática del decenio 1975-1985— los periódicos tendrían tanto poder *político* como en el segundo tercio del XIX.

Problema candente es el de la redefinición de las relaciones Iglesia-Estado, después de la complicidad eclesiástica con el absolutismo fernandino. La alianza de María Cristina y los moderados dejaba en 1833 huérfana de protectores a una Iglesia demasiado comprometida, en lo terrenal y en lo ideológico, que se siente tentada por la esperanza restauracionista. Surge, de este modo, la imagen del cura trabucaire, asociado a las partidas carlistas, que pasaría a la centuria siguiente, como expresión del fanatismo religioso y de la proclividad del clero a abanderar reivindicaciones políticas.

El forcejeo de la Iglesia por hacerse un hueco y del Estado por afirmar su laicidad y promover el fin de las propiedades eclesiásticas tendrá incluso su reflejo estético. La fiebre anticlerical de 1834 y la enajenación de los bienes desamortizados vaciaron las ciudades y los campos españoles del excesivo número de edificios religiosos que recordaban a cada momento la omnipresencia de la institución. En su lugar, nuevas plazas, avenidas o casas de vecindad, cuando no fábricas, proclamaron a los cuatro vientos la victoria de la burguesía sobre sus antiguos competidores. Expandiendo los modernos conceptos burgueses de racionalidad, higiene y *buen gusto,* estas iniciativas cambiarán la faz de las ciudades de España.

Siglo de contradicciones, marcado por guerras civiles y golpes de mano, el XIX es, así mismo, una centuria de despegue económico. Las desamortizaciones y el ferrocarril favorecen la fecundidad del campo, cuya producción se especializa de acuerdo con los mercados nacionales y europeos. Nace el capitalismo industrializador que, aunque con retraso respecto a los países pioneros, planta sus raíces en Cataluña, las Provincias Vascas, Asturias y Andalucía. No obstante, la dependencia económica del capital extranjero es tan grande que sólo Cataluña y el País Vasco conseguirán crear una burguesía dinámica, volcada en los sectores textil y minerometalúrgico, que con el cambio de siglo diversifica sus empresas y extiende su influencia por el resto de la nación.

> La España de charanga y pandereta,
> cerrado y sacristía,
> devota de Frascuelo y de María
> de espíritu burlón y de alma inquieta...
>
> ANTONIO MACHADO

Como contrapunto al progreso industrial, la clase obrera incrementa la conflictividad en el sur minero y el norte fabril, en tanto la agitación jornalera se adueña del campo andaluz y extremeño. No se trata, sin embargo, de los intermitentes estallidos de épocas anteriores: los desheredados plantean ya exigencias políticas y económicas sobre la base de unos esquemas de recambio, contra los que nada puede la ideología dominante, salvo reforzar las medidas represivas. Tras el ensayo de la Primera

República, en el que se hicieron sentir los obreros y menestrales, la Restauración inicia su recorrido con la tarea pendiente de definir una España que, superando la liberal moderada y la republicana, bloquease todo amago de reforma, en provecho de la burguesía conservadora.

La necesidad de preservar la paz y controlar al paisanaje fomenta la formulación de una España, uniforme en lo político y administrativo, que quiere acabar con los rescoldos de foralidad en Vascongadas y Navarra. Respaldan el propósito la autoridad del derecho decimonónico europeo y los proyectos económicos de la burguesía vasca, frenados hasta ahora por unos usos de raigambre anticapitalista. Sin reparar en la diversidad de las Españas, el centralismo miope de la Restauración ahoga la heterogeneidad cultural de la población española, bajo la coartada de evitar la disgregación del Estado, con el recuerdo del cantonalismo de la República. La derecha manipulaba, de esta forma, el sentimiento nacionalista hispano para sabotear la carga revolucionaria de carácter social del sexenio, como volverá a hacerlo en 1936 cuando las reivindicaciones catalanas y vascas aviven los temores secesionistas. Fruto de la política centralizadora de los gobiernos de la Regencia, la riqueza industrial y la entrada en la lid de las clases medias, nacen los nacionalismos periféricos que beben en las mismas fuentes que el español, manteniendo con él estrechos lazos ideológicos. Del pensamiento integrista hereda Sabino Arana su pesimismo existencial y su miedo al progreso que contrastan con el talante optimista del nacionalismo catalán. Orgullosa de la arrolladora marcha de sus fábricas, la burguesía barcelonesa presiona al Estado con el objeto de capitalizar su primacía económica en una España atrasada. Al carro de la patria catalana se suben los eclesiásticos que con el obispo Torras i Bages salmodian: «Cataluña y la Iglesia son dos cosas de nuestra historia pasada que no pueden ser separadas; si cualquiera desea rechazar a la Iglesia, tendrá que rechazar al mismo tiempo a la patria.» Por las mismas fechas, otros prelados cantaban la gloria católica de la nación española.

De igual manera, la España de Cánovas refuerza su componente historicista; los laureles pasados adornan los discursos de los políticos, las obras de los historiadores, las páginas de los manuales de enseñanza y la pintura oficial.

En su búsqueda de un modelo histórico ajustado a la nueva era —una España unida, católica, conservadora y en paz—, éste terminará degenerando en imperial. La reivindicación de la España de los Reyes Católicos y los primeros Austrias cuadraba, por otro lado, con las viejas leyendas intelectuales de una edad de oro a fines del siglo XV, y el cuarto centenario del descubrimiento de América ofrecía una efemérides perfecta.

Finalmente, los intereses de los sectores productivos, agrarios e industriales, orientan el país hacia la autarquía, desde la aprobación de los aranceles, única salida frente a los peligros de una competencia abierta. Dividendos casi asegurados y rentas agrarias en alza atraen a los burgueses y latifundistas al régimen, acostumbrándolos al paraguas protector del Estado en los negocios: una deformación que, con altibajos, subsiste hasta nuestros días.

La noticia más sobresaliente es la vuelta de la burguesía al regazo de la Iglesia ante el acecho de socialistas, anarquistas, republicanos o simples liberales progresistas. En la España profundamente conservadora, en lo social y en lo moral, de finales del XIX la Iglesia recobraba su puesto de protagonista en la historia del país, después de varios decenios de espectadora, lo que no equivale a inactiva. Agobiada por los problemas financieros derivados de su dependencia del Estado y, en cierto modo, menospreciada por las masas proletarias, la institución se echa en brazos de los propietarios, especializándose en descargar conciencias, educar elites y cubrir los vacíos asistenciales del sistema. El regreso de la Iglesia al combate, en defensa de la España canovista, será celebrado por los mentores intelectuales del régimen, que habían hecho del catolicismo la más genuina marca ideológico-cultural de la nacionalidad.

Toda esta España se tambalea a comienzos del siglo XX con la irrupción de las masas proletarias y el progreso del nacionalismo catalán entre las clases medias. El sistema canovista naufraga en el agobio de la crisis económica y la desastrosa guerra contra los Estados Unidos que descubre la distancia que separaba la España real de la aparatosa España oficial manejada por los políticos. Perdido en la estética de un pasado atemporal, el traído y llevado *problema de España* de la *generación del 98* esconde el resquebrajamiento de un concepto de España muy definido que, a pesar de todo, vivirá hasta la década de 1950. Una España que podemos definir como centralista, agraria, frailuna, caciquil, militarista, y cerrada a las novedades artísticas y científicas de la cultura contemporánea. Un modelo más atento a las fidelidades del pasado que a los apremios del presente y provocativamente elitista. Cuando la presión de los desposeídos en la calle y las fábricas —huelgas, manifestaciones, atentados— o de las burguesías nacionalistas de la periferia en el aparato político-administrativo se incrementa amenazadora, los grupos oligárquicos no dudan en reforzarlo atrapando en él al ejército, único poder recio con vocación de cancerbero del orden. Hasta la monarquía cae en la trampa, descolocada por el paso del tiempo, los cambios sociales y un rey educado en el siglo anterior. El militarismo se adueña de la sociedad española, con su desprecio de las reglas políticas o su más que peligroso sentido de la unidad de la patria, en rotundo antagonismo con las aspiraciones de autonomía de la burguesía catalana y la mesocracia vasca. El ejército se convierte de esta manera en piedra angular de un *nacionalismo español* de nuevo cuño, en el que militan la burocracia madrileña, los latifundios del sur, el tradicionalismo eclesiástico y la gran burguesía vasca, temerosa de la efervescencia proletaria y del avance de las consignas sabinianas. Nada más trágico para España que el *españolismo* de estos *patriotas,* excluyente como el del Siglo de Oro y antiilustrado como el reaccionarismo del XVIII.

Con Primo de Rivera, la burguesía española deja patente su indefinición, al autoproclamarse liberal y exigir, a la vez, la presencia física del cirujano de hierro pedido por Costa para emprender la reforma desde la cabeza, acabar con el régimen caciquil y fomentar el crecimiento económico, sin concesiones a los obreros. Desorientación que se aprecia en las obras de pensadores liberales como Azaña u Ortega con su temor a *la rebelión de las masas* y la búsqueda arqueológica de una España *vertebrada* que había perdido su conciencia histórica con la invasión de Tarik; o Claudio Sánchez Albornoz y Américo Castro quienes, ya en el exilio, ahondan en el eterno enigma de España. Para uno, comprensible desde el ansia de libertad de los sublevados asturianos y castellanos contra el poder de Córdoba; para el otro, desde la convivencia de cristianos, judíos y musulmanes en la Edad Media.

En media docena de años de poder (1931-1936) los intelectuales bregan por alumbrar una España plural, democrática y justa después de que la participación ciudadana decidiera retirar a Alfonso XIII. Una utopía que no tuvo en cuenta ni la fortaleza de los obstáculos internos ni la victoria de los totalitarismos en el exterior. La guerra civil dirimirá la oposición de las dos Españas, saliendo triunfadora la de las espadas, cruces y rentas. Muchas fueron las destrucciones materiales y las pérdidas humanas en los frentes de combate, pero la más perdurable secuela del conflicto será el exilio de la intelectualidad liberal; con ella desaparecen los verdaderos beneficios de la renovación económica del XIX. Los enfrentamientos y animosidades, alimentados por los tres años de la contienda, agigantan la imagen de las dos Españas *machadianas* y prolongan la intolerancia y el odio mutuamente correspondido durante la larga noche franquista.

En la era de Franco, la España industrial periférica se impone a la agraria, ganadora de la guerra, atrayendo los excedentes de mano de obra campesina al compás de la segunda industrialización de los años sesenta. Este empuje no hubiese sido posible, por otro lado, sin una apertura económica controlada que no soluciona, sin embargo, la dependencia del mercado mundial de capitales y tecnología. Ni sin la avalancha de turistas que busca un sol barato en la costa mediterránea y las islas. En obsequio a los visitantes, los ministros y empresarios del ramo recrearán una España folklórica, adobada de flamenco y toros que, impresa en la mentalidad media europea, oculta el alcance de los cambios socioeconómicos y explica la extraña fascinación ejercida, en el futuro, por la transición política.

La masiva llegada de extranjeros repercutió en una relativa relajación de la moral tradicional y las costumbres, en la que también colabora el desarrollo de los medios de comunicación de masas, especialmente el cine y la televisión. A pesar de los rígidos corsés establecidos por la censura o la manipulación sistemática de las pantallas y los periódicos, el gobierno no pudo impedir cierta apertura intelectual. Incluso, las necesidades de la economía obligaron a reformar los planes de enseñanza para acercarla a toda la sociedad, lo que contribuyó a un aumento significativo de la población alfabetizada y universitaria. Y con la educación y el crecimiento económico, el abandono de las prácticas religiosas se acelera. De nada sirve que la Iglesia intente ahora desligarse del Estado y comprometerse con los movimientos sociales o nacionalistas: su tiempo iba quedando atrás.

Frente a estos cambios estructurales, la España del franquismo sigue manteniendo en vigor la imagen decimonónica del país, con un régimen político controlado para evitar «la anarquía de las masas»; un nacionalismo agobiante, cuya herencia envenenada habrían de ser el terrorismo etarra y el desprestigio de *lo español;* el control de los resortes del poder por la burguesía industrial y los latifundistas; un acusado militarismo y un Estado confesional. Todo bien condimentado por una retórica imperial que explotaba los viejos mitos de la España de los Reyes Católicos y los Austrias, y su vertiente americanista de la *madre patria,* siguiendo la estela intelectual de Ramiro de Maeztu. Una España irreal que a la muerte de Franco le acompaña en su tumba del Valle de los Caídos.

> La Constitución se fundamenta en la indisoluble unidad de la nación española, patria común e indivisible de todos los españoles, y reconoce y garantiza el derecho a la autonomía de las nacionalidades y regiones que la integran y la solidaridad entre todas ellas.
>
> *Constitución española de 1978,* artículo 2.

La pacífica *transición* venía a certificar que la España conservadora-canovista ya había muerto para 1975; quedaba, eso sí, la tarea de adecuar las estructuras políticas y sociales a la nueva realidad. Tres años más tarde, la Constitución, elaborada desde el consenso político, prefiguraría la España de finales del siglo XX, caracterizada por la instauración de un régimen de libertades y la participación democrática de los ciudadanos en la vida pública. Se establece también un equilibrio entre las necesidades de un Estado moderno y las aspiraciones de autogobierno de las regiones mediante el desarrollo del sistema autonómico: un modelo que extendió a los viejos reinos la *libertad* exigida por vascos y catalanes para sí mismos. El «café para todos», fruto de la debilidad de los gobiernos de la UCD, consumirá en un gasto disparatado la pretendida mejora en las prestaciones de la administración al ciudadano, en tanto el definitivo cierre del modelo queda pendiente por el miedo de las clases dirigentes a la falta de *lealtad constitucional* de los nacionalismos periféricos.

Con las autonomías se reconoce una cultura plural y abierta, que conjuga la asimilación de las novedades internacionales con la convivencia y mutuo respeto entre las varias lenguas y tradiciones existentes en el país. Sin embargo, los roces siguen sido frecuentes por el *localismo* de algunas de las propuestas autonomistas y por los mecanismos coactivos vigentes en las comunidades obsesionadas con su *recuperación* lingüística.

La Constitución certifica la estricta separación de la Iglesia y el Estado, después de 1.500 años de caminar unidos, y la aconfesionalidad de los poderes públicos: el catolicismo pierde su carácter de *esencia nacional* y la Iglesia su función legitimadora. Pero, consumada la transición política, la jerarquía no se sentirá nunca cómoda y, amparada en las organizaciones más conservadoras del país o en el efecto de arrastre de las visitas papales a la península, se sumergirá en desgastadoras campañas de propaganda con el ánimo de imponer sus creencias a los gobiernos *laicos*. Al igual que con la Iglesia, los gobiernos de la UCD ponen en marcha el proceso de desmilitarización de la sociedad española, un trabajo que se prolonga hasta bien entrados los años ochenta con los socialistas ya en el el poder. El ejército pagará además su intervencionismo anterior con el despliegue entre la juventud de teorías contrarias al servicio militar obligatorio, una de las conquistas de la revolución liberal del XIX. Finalmente, la reforma política intentó promover otra de carácter económico desde el moderantismo que caracterizó a los gobiernos centristas. Aparcada la posibilidad de un reparto de la tierra, la reforma se centró en conseguir una política fiscal progresista, que hiciera tributar en función de los ingresos y el patrimonio y no recayera como hasta el presente en los consumos, a la vez que una secuencia de pactos sociales perseguía solucionar el alarmante incremento de los índices de paro.

Tras los prolegómenos reformistas de los gobiernos de Adolfo Suárez, el acceso del PSOE a la dirección del Estado en 1982 alimenta la esperanza en el progreso modernizador de España y en el recorte de las diferencias económicas existentes. Los votos obtenidos por Felipe González y la abrumadora mayoría en las cámaras legislativas avalaban el proyecto, así como el abandono programático de los principios marxistas presentes desde la fundación del Partido Socialista. No obstante, la vía renovadora se agosta pronto. Bajo la *legitimidad* de las urnas, los socialistas encubren una forma de gobernar que excluye, en principio, cualquier práctica de consenso, mientras el rodillo parlamentario se prolonga al resto de los resortes del Estado. La monopolización de las instituciones públicas, sin dejar ningún resquicio a la oposición activa —o el reparto partitocrático de ellas al estilo italiano— servirá de tapadera a los fenómenos de corrupción que jalonan el final de la tercera legislatura socialista.

De igual forma, y a pesar de las promesas electorales que hacían del empleo la tarea primordial de la política económica, ésta embarrancó en un monetarismo a ultranza, insuficiente, por otro lado, para contener la inflación desatada por el desmesurado déficit público, los abusos de los monopolios y las ansias consumistas de la población. Confiados en que la integración en la CEE rejuvenecería el tejido industrial y deslumbrados por un quinquenio de euforia, fruto del hundimiento de los precios del petróleo y la inundación de capitales extranjeros especulativos, los gobiernos del PSOE perdieron la oportunidad histórica de llevar a buen puerto la reforma que España precisaba. Como en el siglo XVII las remesas de la plata americana, los flujos de dinero incrementaron los precios, fomentaron la compra de mercancías suntuarias importadas e hicieron del país el paraíso de la especulación y el dinero fácil o bien enajenaron a compañías internacionales las empresas rentables.

Todo el montaje se desploma, a mediados de 1992, con la recesión internacional: la retórica de una España integrada en el pelotón de cabeza de la Unión Económica y Monetaria se estrellaba contra la cruda realidad de una industria desmantelada por la competencia de los productores europeos, una agricultura desorientada y el crecimiento imparable del desempleo. Es ahora cuando la imagen de los triunfadores de los negocios contrasta violentamente con los apuros de las clases medias o de los parados de larga duración. Frente a la degradación de las condiciones de vida de los obreros especializados o la absoluta precariedad en el empleo de los jóvenes sorprende la contenida conflictividad social reinante en el decenio de los noventa. Extraña actitud que refleja la desgana de una sociedad materialista desprovista de utopías, así como su envejecimiento y el alcance destructivo de los paraísos artificiales de la droga entre las capas juveniles desfavorecidas. Y mientras tanto no falta entre el empresariado quien reclame una nueva autarquía o recurra a los viejos vicios del *control salarial* o de la ayuda del Estado para recuperar la competitividad y evitar la desindustrialización del país.

Las dificultades económicas son, igualmente, terreno propicio para la radicalización de los movimientos *nacionalistas,* preludio del «sálvese quien pueda», especialmente en la cornisa cantábrica. Su alejamiento del nuevo eje de crecimiento económico (Barcelona-Zaragoza-Madrid-Valencia-Murcia) y el monocultivo de la industria pesada, la minería y los bienes de equipo favorecen el declive, así como las complicadas comunicaciones o el terrorismo político. Aun así su potencialidad sigue siendo mayor que la de las olvidadas Galicia, Extremadura o Castilla. Cataluña, por su parte, vive una etapa transitoria: su diversificación industrial, su cercanía a Europa y una mano de obra cualificada le auguran un futuro brillante. Porvenir que los políticos de CiU saben vender muy bien para lograr de Madrid mayores cuotas de autogobierno, en especial, en lo referente al sistema fiscal.

Desoyendo las quejas del antaño norte rico, el gobierno concentró sus esfuerzos en la fachada mediterránea y en Andalucía, a fin de evitar el estrangulamiento económico de la primera y atajar los desequilibrios históricos en la segunda. Las enormes inversiones en infraestructuras, a caballo de la EXPO, han resultado el intento más serio de sacar al sur de su tradicional aislamiento y dar esperanza a la mayor bolsa de pobreza del país. En la toma de conciencia de que el sur también existe, sin duda influye el deseo de impedir que este enorme territorio (17 por 100 de la superficie y de la población peninsular) se transforme, como en Italia, en una región incontrolable. Aunque el esfuerzo *nacional* no ha conseguido todavía estimular suficientemente el conjunto, es un buen punto de partida para liquidar las graves desigualdades entre las diversas autonomías y un paso en la creación de una España en verdad solidaria. En este sentido, la década de los noventa aparece convulsionada por los planteamientos divergentes de los nacionalismos periféricos, las propuestas de administración única de Manuel Fraga o la España federal de los socialistas catalanes, sin que el PSOE haya logrado articular ninguna respuesta alternativa, salvo su estéril vanagloria de ser el único partido *capaz de garantizar la unidad de España*.

Como respondiendo al socialismo *light*, avanza en la década de los ochenta una cultura también *light*, que esconde su falta de creatividad y compromiso bajo la reivindicación de lo efímero, lo populista o lo provocador. La *movida* sustituye entonces a la reflexión; la falta de lectura se compensa con el consumo masivo de programas audiovisuales o juegos electrónicos; el arte se banaliza o se torna mercancía en manos de galeristas y casas de subastas y los suplementos literarios y artísticos de diarios como *El País* se erigen en baluarte de la cultura oficial de los *mass-media*. Los mismos gobiernos central y autonómicos se enfangan en la trivialidad con su política cultural de *escaparate*, especializada en costosos montajes, a mayor gloria del político de turno, o en la construcción de faraónicos auditorios, palacios de congresos o museos de última generación sin planes precisos para su futuro uso. Es una cultura-espectáculo más preocupada por los índices de visitantes y el *marketing* que por la calidad, el riesgo de las propuestas o la creación diaria, cuya caricatura serían las largas colas de visitantes a la exposición antológica de Velázquez en El Prado. Enfervorecidos por los medios de comunicación, muchos de ellos ni siquiera repararon en que la mayoría de las obras estaba en el museo desde su fundación sin provocar ninguna avalancha. Mientras tanto, faltan bibliotecas o conservatorios dignos, obras de arte y monumentos del pasado se degradan y los centros de investigación de las universidades languidecen.

En el ámbito cultural, como en los demás, el PSOE, y los partidos nacionalistas en las comunidades en que gobiernan, han tenido a su favor la completa desmovilización de la sociedad española, una de las más perdurables y peligrosas herencias del franquismo. Mantenida en una eterna adolescencia, la sociedad ha sido manipulada al antojo de los políticos, sin que nadie se haya preocupado por ayudarla a *madurar* confiándole actividades públicas, monopolizadas por el Estado. Ésta es una de las apuestas de la España del XXI, la de resucitar la sociedad civil, destruida por la guerra y la dictadura, e incorporarla al diario quehacer de la nación.

Sin otras ramas a las que asirse, los políticos de los años ochenta hicieron de Europa y de lo europeo el mito con el que debía adornarse el discurso político e ideológico. La invasión de códigos y justificaciones europeístas se superpuso entonces a las viejas señas, por más que en algunas regiones hubiera quien pretendiese oponer a las glorias españolas sus leyendas particulares. Pero a la larga el discurso se hundió también con la recesión económica: de Europa llegaban los cierres de fábricas, los precios agrarios ruinosos, las limitaciones a la pesca, las maniobras especulativas contra la peseta o las políticas de homogeneización cultural que pretendían acabar con la «ñ» o diluir los esfuerzos de recuperación de las peculiaridades regionales.

Rotos sus soportes ideológicos, el nacionalismo español retrocede en estos últimos años del siglo XX; la idea misma de España se libera al ser despojada de sus esencias tradicionales.

Emerge así una España múltiple y diversa, viva no por supuestas identidades milenaristas sino por la voluntad democrática de sus habitantes de reconocer una historia común y una cultura sin imposición alguna: al fin y al cabo Cervantes, Velázquez, Goya, Picasso o Antonio López forman parte de una misma herencia como Maragall, Gaudí, Rosalía de Castro, Miró o Gabriel Aresti. Porque no se trata de una versión mediterránea del Imperio austrohúngaro, un Estado multinacional, sino de una nación multicultural que ha amontonado quinientos años de derribar murallas y suscitar encuentros. Una España definida por la evolución y el cambio incesante, cuyo vértigo bien pudiera ser la causa de la pérdida de sentido histórico de nuestra sociedad.

Esta *Historia de España* corresponde al capítulo primero de la *Breve historia de España*, de Fernando García de Cortázar y José Manuel González Vesga, publicada en «El Libro de Bolsillo» de Alianza Editorial con el número 1666.

Otras obras del autor en Alianza Editorial:

Historia del mundo actual (1945-1992) (AU 603)
Los pliegues de la tiara (LS 81)

Títulos de la colección:

1. Miguel Delibes: *La mortaja*
2. Alejo Carpentier: *Guerra del tiempo*
3. H. P. Lovecraft: *El horror de Dunwich*
4. Isaac Asimov: *Los lagartos terribles*
5. Carmen Martín Gaite: *El balneario*
6. Jorge Luis Borges: *Artificios*
7. Jack London: *Por un bistec. El chinago*
8. Marvin Harris: *Jefes, cabecillas, abusones*
9. Francisco Ayala: *El Hechizado. San Juan de Dios*
10. Julio Cortázar: *El perseguidor*
11. Oscar Wilde: *El fantasma de Canterville*
12. Charles Darwin: *Autobiografía*
13. Pío Baroja: *La dama de Urtubi*
14. Gabriel García Márquez: *El coronel no tiene quien le escriba*
15. Joseph Conrad: *Una avanzada del progreso*
16. Anne de Kervasdoué: *El cuerpo femenino*
17. Federico García Lorca: *Yerma*
18. Juan Rulfo: *Relatos*
19. Edgar A. Poe: *Los crímenes de la calle Morgue*
20. Julio Caro Baroja: *El Señor Inquisidor*
21. Camilo José Cela: *Café de Artistas*
22. Pablo Neruda: *Veinte poemas de amor y una canción desesperada*
23. Stendhal: *Ernestina o el nacimiento del amor*
24. Fernand Braudel: *Bebidas y excitantes*
25. Miguel de Cervantes: *Rinconete y Cortadillo*
26. Carlos Fuentes: *Aura*
27. James Joyce: *Los muertos*
28. Fernando García de Cortázar: *Historia de España*
29. Ramón del Valle-Inclán: *Sonata de primavera*
30. Octavio Paz: *La hija de Rappaccini*
31. Guy de Maupassant: *El Horla*
32. Gerald Durrell: *Animales en general*